Pour Natasha, Sabrina et Jasmine – J.D.

Texte © 2001 Julia Donaldson
Illustrations © 2001 Axel Scheffler
Première publication en 2001 sous le titre : "Room on the Broom"
aux éditions Macmillan Children's Books, Londres, Royaume-Uni.
ISBN de la première édition : 0 333 90337 4 HB

© Éditions Autrement pour la présente adaptation,
17, rue du Louvre, 75001 Paris
Tél. : 01 40 26 06 06 - Fax : 01 40 26 00 26
ISSN : 1269-8733 - ISBN : 2-7467-0121-9
Dépôt légal : 3ᵉ trimestre 2001
Imprimé et relié en Belgique.

Et hop ! dans les nuages...

Texte de Julia Donaldson

Illustrations d'Axel Scheffler

Texte français de Laurent Bury

Autrement Jeunesse

La sorcière a un chat
et un très grand chapeau,
une natte couleur carotte
et bien sûr... un balai !

"Embarquement immédiat !
C'est parti pour un tour !"
Quel bonheur de voler !

Soudain, une rafale de vent
emporte le chapeau,
le chat crache et peste,
et la sorcière pleurniche...

"Atterrissage !", crie la sorcière.
Dans la forêt, ils cherchent partout...
mais rien !

Tout à coup un chien sort d'un buisson,
il tient le chapeau à pleines dents !

Très fier, il le rend à la sorcière :
"Je suis un chien très comme il faut.
Reste-t-il sur votre balai
une place, s'il vous plaît ?"

"Oui", répond la sorcière.
Un petit coup sur le balai... et hop !
C'est reparti !

Ils survolent les champs et les bois.
Et malgré la tempête qui agite le balai,
le chien remue la queue, la sorcière
ricane et le chapeau tient bon !

Mais cette fois, le vent emporte
le ruban qu'elle a dans les cheveux !

Tout à coup un oiseau s'approche,
le ruban dans le bec.
Il le dépose très délicatement et dit :

"Atterrissage !", crie la sorcière.
Ils cherchent parmi les épis de blé...
sans rien trouver.

"Je suis un très bel oiseau vert.
Reste-t-il sur votre balai
une place, s'il vous plaît ?"

"Oui", répond la sorcière.
Un petit coup sur le balai..., et hop !
Décollage !

Ils volent par-dessus le lac et la rivière.
L'orage gronde. Cette fois,
la sorcière tient bien son ruban.
Mais voilà qu'elle lâche sa baguette !
"Atterrissage !"

Partout, ils cherchent,
ils fouillent, ils farfouillent.
Quand, tout à coup, une
grenouille surgit de la mare.

Elle brandit la baguette toute mouillée
dans sa patte toute mouillée :
"Je suis une aimable grenouille.
Reste-t-il sur votre balai
une place, s'il vous plaît ?"

"Oui", répond la sorcière.
Un petit coup sur le balai..., et hop !
Tous à bord !

Au-dessus des montagnes,
la grenouille saute de joie et...
KRAC !... que se passe-t-il ?
Voilà le chat, le chien et la grenouille
qui dégringolent dans la boue.

La sorcière disparaît
sur un demi-balai.
Soudain, elle entend
un hurlement terrible :

"Je suis un fameux dragon
et je veux pour mon déjeuner
une SORCIÈRE à dévorer !"
"Non !" s'écrie la sorcière.
"Décollage !"
Mais le dragon la poursuit
en crachant des flammes.
Elle regarde partout :
"À l'aide ! Atterrissage !"
Mais personne pour l'aider !

Le dragon se rapproche,
il se lèche les babines :
"Chic ! Je vais manger une
sorcière avec des frites !"

Au moment où il s'apprête
à engloutir la sorcière, une
effroyable créature apparaît,
immense, noire, gluante,
à poil et à plume, avec des ailes
et quatre têtes.

La créature se met à hurler :
elle coasse, aboie, miaule et chante.

Toute dégoulinante, elle s'avance
et dit au dragon :
"ARRIÈRE ! C'EST MA SORCIÈRE !"

Le dragon recule en bafouillant :
"Je suis désolé, c'est une erreur.
Heureux de vous avoir rencontré,
mais je dois m'en aller."
Et il disparaît en battant des ailes.

Alors l'oiseau s'envole,
la grenouille saute.
Le chat descend, le chien respire.
"Ouf ! merci à tous !",
dit la sorcière reconnaissante.
"Sans vous, j'étais croquée
comme un poulet !"

Puis elle remplit sa marmite
et leur dit :
"Apportez-moi donc quelques
ingrédients !"
Le chien apporte un os,
l'oiseau une brindille,
le chat une pomme de pin,
et la grenouille un lis.

La marmite frémit et la sorcière
marmonne la formule magique :
"Bric-à-brac, broc-à-broc,
BRAC-À-BRIC !"
Et voilà qu'apparaît...

UN BALAI SOMPTUEUX,
MAGNIFIQUE, FANTASTIQUE !
"Attachez vos ceintures !",
crie la sorcière. "Décollage !"
Un petit coup sur le balai...,
et hop ! Dans les nuages !